Efeilliaid

Efeilliaid oedd Cara a Sara. Roedd y ddwy yn edrych yn union yr un fath, ond bod Sara yn lliwio ei gwallt yn goch a Cara yn lliwio ei gwallt yn felyn. Roedd yr efeilliaid yn byw gyda'i gilydd mewn bwthyn.

Bob nos Wener byddai'r ddwy yn mynd i weithio yn Neuadd y Dre.

Ar arwydd y tu allan i Neuadd y Dre roedd y geiriau, 'Cystadleuaeth Ymaflyd Codwm Fawreddog'.

Camodd y reffarî dan y rhaff uchaf ac i mewn i'r cylch.

"Foneddigion a boneddigesau. Tawelwch, os gwelwch yn dda, ar gyfer prif ornest y noson."

Agorwyd drws yr ystafell wisgo.

"A dyma hi," cyhoeddodd y reffarî. "Ffefryn pawb. Cara Galon Fawr!"

Cynllun Cyfrwys Sara

JOHN COLDWELL

Lluniau gan Doffy Weir

DRAKE

Lluniau gan Doffy Weir
Addasiad Cymraeg gan Juli Paschalis
© Argraffiad Saesneg, John Coldwell 1995
ⓗ Argraffiad Cymraeg, Gwasg Addysgol Drake 2001
ⓗ Yr addasiad Cymraeg ACCAC

ISBN 0-86174-447-0

Cyhoeddwyd gan Wasg Addysgol Drake
Ffordd Sain Ffagan, Y Tyllgoed,
Caerdydd CF5 3AE
Ffôn: 029 2056 0333
Ffacs: 029 2055 4909
e-bost: drakegroup@btinternet.com
y we: www. drakegroup.co.uk

Argraffwyd yng Nghymru

Bloeddiodd y dorf eu cymeradwyaeth. Daeth
Cara, mewn gwisg binc, i mewn i'r neuadd. Roedd
ei gwallt melyn yn donnau hyfryd. Neidiodd yn
rhwydd dros y rhaff uchaf a glanio yn y cylch.

Chwifiodd ar y dorf a thaflu ambell gusan atyn
nhw. Safodd y dorf a churo eu dwylo. Roedden
nhw am i Cara ennill.

Siaradodd y reffarî eto.

"Ac yn ymladd yn ei herbyn heno mae..."

Taflwyd drysau'r ystafell wisgo yn agored.
Rhwygwyd un drws oddi ar ei golfachau.

"Ei harthes o efeilles. Sara Swrth-Sarrug!"

Daeth Sara, mewn gwisg ddu, i mewn i'r neuadd.
Roedd ei gwallt coch yn donnau hyfryd. Neidiodd
i mewn i'r cylch. Siglodd ei dwrn. Gwaeddodd y
dorf, "Bŵ". Roedden nhw am i Sara golli.

Trodd y reffarî i edrych ar ei oriawr.

Gafaelodd Sara yn Cara a'i thaflu yn erbyn y rhaffau.

Bloeddiodd y dorf ar y reffarî.

Rhuthrodd Sara yn ôl i'w chornel. Trodd y reffarî.

"Wnes i ddim o i le," gwaeddodd Sara.

Roedd yr ornest wedi dechrau.

Bownsiodd Cara yn ôl â chic go hegar.

Cododd Sara Cara a'i chwyrlïo o gwmpas ei phen.

"Bŵ," meddai'r dorf yn uchel.

Ac felly yr aeth pethau am bum rownd.

"A'r buddugwr yw - Cara Galon Fawr."

"Hwrê!" meddai'r dorf wrth Cara. "Bŵ," meddai'r dorf wrth Sara.

8

Y noson honno, eisteddai Sara a Cara gartref yn yfed coco.

"Rown i'n meddwl bod y ffeit wedi mynd yn dda," meddai Cara.

"Hm," meddai Sara.

"Wyt ti wedi siomi ynglŷn â'r gic hegar yna?"

"Nadw."

"Y gic galed yn rownd dau?"

"Na!"

"Felly pam wyt ti mewn hwyliau mor ddrwg?"

Dechreuodd Sara wylo.

"Beth sy'n bod?" gofynnodd Cara.

"Wel," udodd Sara, "mae pobl yn dweud 'hwrê' wrthot ti bob tro a 'bŵ' wrtho i."

"Am mai Cara Galon Fawr ydw i a Sara Swrth-Sarrug wyt ti."

"Allen ni ddim newid?" awgrymodd Sara. "Fe allet ti fod yn Cara Gacwn. Fe allwn i fod yn Sara Swynol."

"Paid â bod yn wirion," atebodd Cara. "A
pheth arall, rwyt ti'n dda am fod yn ddrwg."

"Fe allet ti fy nysgu i fod yn dda," meddai
Sara. "Ac fe allwn i dy ddysgu di i fod yn ddrwg."

"Na!" meddai Sara. "Beth fyddai fy ffans yn ei
feddwl?"

Sara'n brwydro 'nôl

Y bore Gwener canlynol, ar ôl brecwast, aeth yr efeilliaid i'r gegin orau. Rhoeson nhw'r bwrdd a'r cadeiriau mewn pentwr yn un pen o'r ystafell. Symudon nhw'r set deledu, powlen y pysgodyn a'u llyfrau i mewn i'r gegin.

Pan oedd yr ystafell yn hollol glir, gofynnodd Cara, "Barod?"

"Barod," meddai Sara.

Yna dechreuodd yr efeilliaid ymladd. Taflodd
Sara Cara ar draws yr ystafell. Gwnaeth Cara
gartwhîl perffaith a glanio'n ysgafn ar ei thraed.

Byddai'r efeilliaid yn ymarfer bob tro ar gyfer
gornest nos Wener. Roedd y ddwy efeilles yn
ymaflyd codwm yn dda iawn. Gweithiodd y
ddwy yn galed i wneud yn siwr eu bod yn gallu
gwneud eu symudiadau heb wneud niwed i'w
gilydd.

Wedi iddyn nhw orffen ymarfer, roedd yn rhaid i'r efeilliaid dacluso'r bwthyn a chael tamaid o ginio. Roedd yr efeilliaid yn hoffi coginio ond yn casáu gwaith tŷ. Taflon nhw geiniog i weld pwy ddylai dacluso.

"Pennau," meddai Sara.

"Cynffonnau," meddai Cara. "Fi sy'n ennill."

Felly roedd yn rhaid i Sara symud popeth o'r gegin yn ôl i'r gegin orau. Wedyn roedd yn rhaid iddi roi'r bwrdd a'r cadeiriau yn ôl yng nghanol yr ystafell. Yn y cyfamser aeth Cara ati i wneud cinio.

Ar ôl cinio, llithrodd Sara yn dawel i mewn i'r ystafell ymolchi a chloi'r drws. Golchodd Sara ei gwallt â lliw gwallt melyn ei chwaer. Edrychodd yn y drych a gwenu. Gwallt melyn oedd ganddi nawr, yn union fel Cara. Arllwysodd weddill y lliw melyn i lawr y sinc. Yna llenwodd y botel â pheth o'i lliw coch hi.

Curodd Cara ar y drws.

"Brysia, wnei di," galwodd.

"Bron yn barod," atebodd Sara.

"Rhaid imi liwio fy ngwallt cyn mynd i loncian," meddai Cara.

Daeth Sara allan o'r ystafell ymolchi. Roedd tywel wedi ei lapio am ei phen.

"Rwy'n teimlo'n well o lawer," meddai Sara. "Mae'r ystafell ymolchi yn daclus."

"Edrych ar yr amser," meddai Cara. "Fe fydda
i'n hwyr."

Rhedodd Cara i'r ystafell ymolchi. Tasgodd liw
ar ei gwallt. Roedd hi mewn cymaint o frys fel
nad edrychodd yn y drych.

"Mwynha dy hun yn rhedeg," meddai Sara.

Lonciodd Cara i lawr y ffordd.

Rhedodd drwy'r parc. Gwelodd Cara gath fach yn eistedd ar wal.

"Helo, Modlen fach."

Estynnodd ei llaw i fwytho'r creadur bach. Heglodd y gath i fyny coeden.

Roedd plismon yn mynd heibio.

"Gweles i ti'n rhoi ofn i'r gath fach yna. Am beth creulon i'w wneud."

"Dim ond ceisio ei mwytho wnes i," eglurodd Cara.

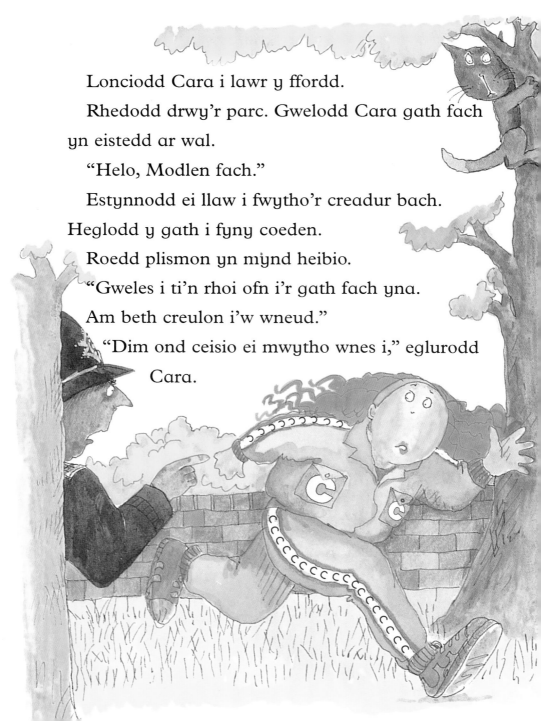

Lonciodd ymlaen tua'r maes chwarae. Roedd plant yn chwarae ar y siglenni.

"Ydych chi am i fi'ch gwthio chi?" galwodd.

Edrychodd y plant yn syn ar Cara. Neidion nhw oddi ar y siglenni a rhedeg i ffwrdd.

Rhuthrodd ceidwad y parc ati.

"Beth yn y byd rwyt ti'n ei wneud? Roeddet ti'n cwrso'r plant 'na. Cer i gwrso rhywun dy faint dy hun."

Rhedodd Cara i ffwrdd.

Arhosodd i orffwys y tu allan i archfarchnad. Roedd hen wraig yn gwthio ei throli tua'r drws.

Rhedodd Cara ati i'w helpu. Daliodd y drws yn agored iddi.

"Ar eich ôl chi," meddai.

"Tric yw hyn. Rydych yn mynd i gau'r drws yn fy wyneb," meddai'r hen wraig.

Cyrhaeddodd y rheolwr.

"Paid ti â meiddio creu ofn ar fy nghwsmeriaid. Cer o'm golwg i cyn imi alw'r heddlu."

Fedrai Cara ddim yn ei byw â deall beth oedd yn digwydd. Lonciodd 'nôl i'r bwthyn yn drist.

Roedd Sara yn yr ardd.

"Beth rwyt ti wedi ei wneud i dy wallt?" gofynnodd Cara.

"Wyt ti'n ei hoffi?" holodd Sara.

"Melyn yw e. Lliw fy ngwallt i," meddai Cara.

"Ife wir?" meddai Sara. Tynnodd ddrych o'i phoced. Fe'i daliodd o flaen Cara.

"Fy ngwallt i!" sgrechiodd Cara. "Mae'n goch! Ond dy liw di yw hynny."

"Gwn i," atebodd Sara.

"Bydd pawb yn meddwl mai ti ydw i," meddai Cara.

"Yn hollol," chwarddodd Sara.

"Bydd yn rhaid imi ail-wneud fy ngwallt," meddai Cara.

"Fedri di ddim," meddai Sara.

"Pam lai?" gofynnodd Cara.

"Am fy mod i wedi arllwys dy liw gwallt di i gyd i lawr y sinc," meddai Sara.

"Ond rydyn ni i fod yn Neuadd y Dre mewn deng munud," ochneidiodd Cara. "Beth wnawn ni?"

Pennau neu gynffonnau?

Roedd Neuadd y Dref yn orlawn o bobl yn disgwyl gweld yr ornest fawr.

Camodd y reffarî ymlaen.

"Foneddigion a boneddigesau. Yn y cornel coch, Cara Galon Fawr."

Rhuthrodd Sara ymlaen yn ei gwisg binc, a'i gwallt melyn yn donnau, a neidiodd i mewn i'r cylch. Cododd ei llaw ar y dorf. Roedd pawb yn curo'u dwylo.

"Ac yn y cornel glas, bwystfil y buarth, Sara Swrth-Sarrug."

Taranodd Cara i'r cylch, wedi ei gwisgo mewn du a gyda'i gwallt coch yn donnau. Ysgydwodd ei dwrn ar Sara.

Credai'r dorf ei bod yn siglo ei dwrn arnyn nhw. Aeth bŵ mawr drwy'r lle.

Dechreuodd yr ornest. Gafaelodd Cara a Sara yn ysgwyddau ei gilydd.

"Sut wyt ti'n hoffi bod y ddynes ddrwg?" mwmiodd Sara.

"Mae'n gas gen i," atebodd Cara. "Mae pawb am i fi golli."

"Nawr rwyt ti'n gwybod sut rydw i'n teimlo," sibrydodd Sara. "Reit. Rwy'n mynd i dy daflu dros fy ysgwydd."

A dyna'n union beth wnaeth hi. Roedd y dorf wrth eu boddau. Cododd Sara ei llaw ar y dorf a gwenu.

"A'r enillydd yw Cara Galon Fawr." Cododd Sara, gyda'i gwallt melyn a'i gwisg binc, ei llaw. Gwaeddodd y dorf hwrê.

Eisteddodd y ddwy chwaer yn yr ystafell wisgo wrth i'r dorf fynd tua thre.

"Wn i ddim pam rwyt ti'n edrych mor falch ohonot dy hun," meddai Cara.

"Am mai fi sydd wedi ennill," atebodd Sara.

"Ond nid ti wnaeth," eglurodd Cara. "Dywedodd y reffarî mai'r enillydd oedd Cara Galon Fawr. A fi yw honno."

"O," meddai Sara.

Curodd rhywun ar y drws.

"Dewch i mewn," meddai Cara.

Daeth dyn bach swil i'r ystafell wisgo, â thusw enfawr o flodau yn ei ddwylo.

"Blodau i Cara," meddai.

"Dyna garedig," gwenodd Cara.

Cerddodd y dyn heibio i Cara a'u rhoi i Sara.

"Rwy am ichi wybod mai chi yw fy hoff ymaflwraig godwm," cyhoeddodd.

Yna aeth ei wyneb yn goch iawn a rhedodd o'r ystafell.

"Hei," meddai Cara. "Dywedodd e mai i fi roedd y blodau yna."

"O na," meddai Sara. "I fi y rhoddodd e nhw."

"Felly wir?" arthiodd Cara. "Mae hyn yn wirion bost."

"Mae gen i syniad," meddai Sara, "a ddylai gadw pawb yn hapus."

"Rwy'n barod i wrando," atebodd Cara.

"Bob nos Wener," meddai Sara, "fe daflwn ni geiniog i weld p'un sy'n lliwio ei gwallt yn goch a pha un sy'n ei liwio'n felyn."

"Na," meddai Cara. "Fedra i ddim cytuno."

"Os felly," meddai Sara, "rwy'n mynd i gadw fy ngwallt i'n felyn. Yna gall y ddwy ohonom fod yn Cara Galon Fawr. Does neb yn mynd i dalu i weld dwy Cara yn ymladd. Felly chawn ni mo'n talu. Felly bydd yn rhaid inni werthu'r bwthyn. Yna..."

"Iawn, iawn," ochneidiodd Cara. "Rwy'n cytuno."

Ac felly bob nos Wener mae'r ddwy chwaer yn clirio'r gegin orau ac yn ymarfer eu symudiadau. Wedyn maen nhw'n taflu ceiniog i benderfynu pwy sy'n gorfod gwneud y gwaith tŷ. Ac ar ôl cinio maen nhw'n taflu'r geiniog eto i benderfynu ar liw eu gwalltiau.

Weithiau bydd gwallt melyn gan Sara a gwallt coch gan Cara. Dro arall bydd gwallt melyn gan Cara a gwallt coch gan Sara. A does neb yn y dorf sy'n dod i'w gwylio'n ymladd yn sylwi.

Am yr awdur

Cefais fy ngeni yn Llundain yn 1950 a bellach rwy'n byw ar lan y môr, yn Ramsgate. Gyda'r nos rwy'n hoffi ysgrifennu storïau a barddoniaeth. Rwy'n gwneud hyn yn dawel iawn. Yna rwy'n mynd i lawr y grisiau ac yn chwarae recordiau jazz yn uchel iawn. Mae fy nheulu yn meddwl fy mod yn gwneud dau beth rhyfedd iawn. Un peth yw mynd allan i'r ardd bob nos i chwilio am frogaod, madfallod y dŵr a draenogod. Y peth arall yw cefnogi Clwb Pêl-droed Gillingham.

Llyfrau Brig y Goeden yng Ngham 11:

Fflaniau'n Fflïo gan Nick Warburton
Anodd eu Plesio gan Nick Warburton
Siwt Syr gan Nick Warburton
Ffion a'r Draenogod gan John Coldwell
Clustiau Rhyfeddol Owen Bowen gan David Cox ac Erica James
Cynllun Cyfrwys Sara gan John Coldwell
Esgidiau Ymarfer Peryglus gan Susan Gates
Ieu a Dei ar Waith gan Nick Warburton
Cewri Carys gan Nick Warburton
Cyfle Mawr Manon gan John Coldwell